folio cadet ▪ prem

Le Petit Nicolas
d'après l'œuvre de René Goscinny
et Jean-Jacques Sempé

Une série animée adaptée pour la télévision par Matthieu Delaporte, Alexandre de la Patellière et Cédric Pilot / Création graphique de Pascal Valdès / Réalisée par Arnaud Bouron
D'après l'épisode « À la récré, on se bat », écrit par Olivier et Hervé Pérouze.
Le Petit Nicolas, les personnages, les aventures et les éléments caractéristiques de l'univers du Petit Nicolas sont une création de René Goscinny et Jean-Jacques Sempé.
Droits de dépôt et d'exploitation de marques liées à l'univers du Petit Nicolas réservés à **IMAV EDITIONS**. Le Petit Nicolas® est une marque verbale et figurative enregistrée.

Adaptation : Emmanuelle Lepetit
Maquette : Clément Chassagnard
Le papier de cet ouvrage est composé de fibres naturelles, renouvelables, recyclables et fabriquées à partir de bois provenant de forêts plantées et cultivées expressément pour la fabrication de la pâte à papier.
Loi n° 49-956 du 16 juillet 1949 sur les publications destinées à la jeunesse
ISBN : 978-2-07-064627-2
N° d'édition : 337948
Premier dépôt légal : avril 2012
Dépôt légal : avril 2018
Imprimé en France par IME by Estimprim

IMPRIM'VERT
Votre imprimeur agit pour l'environnement

Le Petit Nicolas

Prêt pour la bagarre

GALLIMARD JEUNESSE

Le Petit Nicolas et ses copains

Maman Papa

Alceste Clotaire Eudes

La maîtresse Le Bouillon

Louisette Marie-Edwige Geoffroy Agnan

Ce matin, dans la cour de l'école, rien ne va plus entre Geoffroy et Nicolas.

– Menteur ! lâche Nicolas à son copain.

– Répète un peu pour voir...

– T'es qu'un menteur !

Geoffroy pousse Nicolas qui s'apprête à riposter, quand... DING, DING, DING ! la cloche de l'école les interrompt.

Les deux garçons courent se mettre en rang avec les autres.

– Je te préviens : à la récré, on se bat ! gronde Geoffroy.

– D'accord ! promet Nicolas en le défiant du regard.

Juste derrière eux, Rufus a tout entendu...

Dans la classe, il lance un message roulé en boule à Maixent.

– Lis et fais passer !

– Qu'est-ce qui se passe ? demande Clotaire, qui est assis à côté de Maixent.

– Nicolas et Geoffroy vont se battre à la récré, chuchote Maixent.

– Terrible ! se réjouit Clotaire, avant d'envoyer le message à Eudes, qui le fait passer à Alceste, qui essaie de le lancer à Joachim...

Raté ! La boule de papier atterrit sur la tête d'Agnan, le chouchou de la maîtresse.

– Mademoiselle... Regardez ce que j'ai reçu sur la tête, rapporte aussitôt Agnan.

– Sale chouchou ! siffle Clotaire.

Mais la maîtresse l'a entendu !

– Clotaire, tu seras privé de récréation.

– Oh non, mademoiselle ! Pas cette récré... supplie le pauvre Clotaire.

La maîtresse lit le message, puis ajoute :

– Et il y aura d'autres punitions si j'apprends qu'il y a eu une bagarre à la récré !

Tous les enfants sont déçus… sauf Nicolas.

« Finalement, je n'ai plus très envie de me battre. Alors tant mieux ! » se dit-il avec un petit sourire.

Mais un peu plus tard, dans le couloir...

– La bagarre, y a qu'à la faire tout à l'heure au terrain vague ! propose Eudes.

– Bonne idée ! dit Joachim.

– Voilà, c'est arrangé. Vous allez pouvoir régler vos comptes, dit Eudes en s'éloignant, tout content.

Nicolas, lui, n'est pas si content. Il a même un peu peur... Il imagine un énorme gant de boxe s'abattant sur sa petite tête. Il ne s'est jamais battu de sa vie, lui !

Nicolas rentre à la maison, le cœur dans les genoux. Son père est dans le jardin en train de tailler la haie.

– Euh… dis, Papa, ça t'est déjà arrivé de te battre ?

– Me battre ? Non, je n'ai jamais eu besoin d'en arriver là car j'ai compris que rien ne vaut une bonne discussion pour arranger les choses…

Le papa de Nicolas n'a pas fini sa phrase que le visage furibond de M. Blédurt surgit de l'autre côté de la haie.

– Je peux savoir ce que tu es en train de faire ?

– Bah… ça se voit ! Je taille ma haie, répond le père de Nicolas.

– N'importe quoi. Cette haie est à moi !

– Quel menteur ! s'emporte le papa de Nicolas.

– Répète un peu pour voir...

Nicolas observe la scène, étonné, lorsque sa maman apparaît sur le perron.

– Tu n'as pas honte ? dit-elle à son mari. Te bagarrer comme ça devant Nicolas ! On dirait un gamin... Allez, rentre tout de suite à la maison.

Penaud, le papa de Nicolas obéit. Resté tout seul, le garçon réfléchit.

« Il a raison, Papa. Peut-être que si je discute avec Geoffroy, on fera la paix... »

Nicolas est arrivé le premier au terrain vague. Soudain, il entend des pas derrière lui : voilà Geoffroy !

– Euh… t'as toujours envie de te battre, toi ? dit Nicolas d'une petite voix.

– Bof ! plus tellement, répond Geoffroy.

– Pareil pour moi ! On fait la paix alors ? propose Nicolas.

Les deux garçons vont pour se serrer la main lorsqu'un cri résonne à l'entrée du terrain vague.

– Venez vite ! Ils sont là !

C'est Eudes, suivi de toute la bande.

– J'ai drôlement hâte que la bagarre commence ! lance Alceste.

– Moi, je parie que c'est Geoffroy qui va gagner, affirme Rufus.

– T'es pas fou ? Nicolas va l'étaler en moins de deux ! proteste Clotaire.

C'est alors que Louisette arrive, un ballon à la main.

– Salut les gars ! Ça vous dirait de faire un foot ?

– Oui, mais d'abord, Nicolas et Geoffroy doivent se battre, répond Alceste.

– Ah, bon ? Pourquoi ? fait la fillette, surprise.

– Tiens, c'est vrai ! Pourquoi vous voulez vous battre ? demande Alceste.

Nicolas et Geoffroy se regardent, gênés.

– Bah ! on ne se souvient plus très bien, avoue Nicolas.

– Alors, c'est réglé ! annonce joyeusement Louisette.

– Pas si vite ! Nicolas et Geoffroy veulent

se battre, alors ils vont se battre, se fâche Eudes en montrant les poings.

– Et ça va chauffer ! renchérit Alceste.

– OUAIS ! hurle toute la bande de garçons déchaînés.

À présent, Nicolas et Geoffroy n'ont plus vraiment le choix...

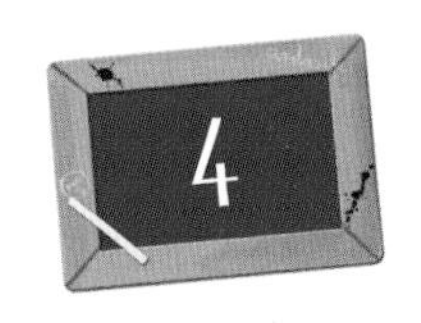

– Allons-y ! s'écrie Geoffroy, en levant les poings.

Nicolas le regarde, surpris... mais Geoffroy lui fait un clin d'œil. Nicolas a compris : ils vont se battre pour de faux ; comme ça, les copains leur ficheront la paix !

Et PAF ! et BAM ! et BING ! Les deux garçons sautillent et s'envoient des coups imaginaires.

Soudain, Geoffroy fait mine de tomber en arrière et se roule dans l'herbe.

– Aïe ! Ma cheville ! gémit-il.

Puis il se dépêche d'ajouter :

– Je ne peux plus me battre.

Les copains sont déçus.

– Ah, non ! c'est trop facile ! On n'a qu'à lui trouver un remplaçant, dit Maixent.

– Je suis volontaire ! rugit Eudes.

– Non, je refuse de me battre contre toi. Tu ne m'as rien fait ! répond Nicolas.

– Dis plutôt que tu te dégonfles ! lâche Joachim.

– Ouais, espèce de trouillard ! rigole Rufus.

Pour le coup, Nicolas sent la moutarde lui monter vraiment au nez.

– Trouillard, moi ? Je vais vous montrer, espèces de guignols.

Et, BANG ! Nicolas shoote de toutes ses forces dans le ballon qui se trouve à ses pieds... Et, PAF ! c'est Louisette qui le reçoit en pleine figure.

– Vous n'êtes que des brutes ! Je ne jouerai plus jamais avec vous ! hurle la fillette en larmes, en courant hors du terrain.

– Bravo ! Tu as vu ce que tu as fait ? lance Geoffroy à Nicolas.

– C'est pas de ma faute, proteste Nicolas.

– Menteur !

– Très bien, siffle Nicolas. Puisque c'est comme ça, on va vraiment la faire, cette bagarre !

– Entendu. Rendez-vous demain, même endroit, même heure, gronde Geoffroy.

– OUAIS ! hurlent les copains, fous de joie.

Cette nuit-là, Nicolas n'arrive pas à dormir. Il n'arrête pas de repenser à Louisette, qui ne veut plus jouer avec lui…

Le lendemain, il décide d'aller lui rendre son ballon, qu'elle a oublié sur le terrain vague. Il la croise chez l'épicier, M. Campani.

– Je voulais te dire pardon pour hier…

– Tu n'es qu'un sauvage ! lui répond la fillette, toujours en colère.

– Oui, c'est vrai. Désolé...

– Bon. J'accepte tes excuses à condition que tu portes mon panier de provisions jusqu'à chez moi ! propose Louisette.

En chemin, les deux amis croisent les copains de Nicolas.

– Alors, Nicolas ? Prêt pour la bagarre ?

– Quoi ? Encore une bagarre ! s'exclame Louisette.

– Laisse tomber, tu ne peux pas comprendre, rigole Eudes.

– Au contraire, je comprends très bien !

Je comprends que vous, les garçons, vous êtes très, très bêtes. Et surtout toi ! dit Louisette en jetant un regard énervé à Nicolas. Je vais vous montrer, moi, comment on peut arranger un conflit sans bagarre, ajoute-t-elle, en se dirigeant vers le terrain vague.

Au terrain vague, tous les garçons font cercle autour de Louisette.

– Vous avez toujours envie de vous battre ? demande la fillette.

– OUAIS ! font les garçons.

– Vous savez ce que ça veut dire ? Des bleus partout, un œil au beurre noir... et une punition quand on rentre à la maison !

– OUAIS ! reprennent les garçons.

– Eh bien, moi, j'ai une proposition à vous faire : est-ce que vous préférez vous battre comme des sauvages ou bien… partager tous ensemble un bon goûter ? lâche Louisette en sortant de son panier un paquet de délicieux gâteaux.

– On prend la bagarre ! hurle Eudes.

Mais il est bien le seul. Tous les garçons, et Alceste en premier, ont déjà tendu la main pour avoir un gâteau !

« Elle est forte, Louisette. Plus tard, on se mariera... » se dit Nicolas.

Pourtant, une drôle de surprise attend Nicolas. Le lendemain, en sortant de l'école avec ses copains, il tombe nez à nez avec une Louisette toute décoiffée et pleine de bleus !

Les garçons voient ensuite passer Marie-Edwige, elle aussi toute débraillée et toute griffée !

– Qu'est-ce qui s'est passé, Eudoxie ? demande Nicolas à une de ses copines.

– Oh ! là, là ! Vous auriez vu ça ! À la récré, Marie-Edwige a traité Louisette de menteuse, alors Louisette lui a demandé de répéter pour voir et...

– Et quoi ? souffle Nicolas.

– Eh bien... soupire Eudoxie, elles se sont battues !

→ je lis tout seul

Pour les jeunes apprentis lecteurs
Niveau 2

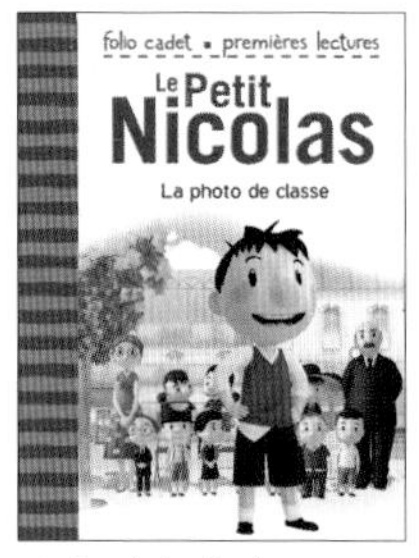

n° 1 *La photo de classe*

n° 2 *Même pas peur!*

n° 3 *Les filles, c'est drôlement compliqué!*

n° 4 *Papa m'offre un vélo*

n° 5 *Le scoop*

n° 6 *Prêt pour la bagarre*

n° 7 *La tombola*

n° 8 *La leçon de code*

Retrouve le Petit Nicolas sur le site www.petitnicolas.com